Christel van Bourgondië

Vreemde smokkelaars

met tekeningen van
Josine van Schijndel

Op de cd staat een korte leesinstructie bij dit boek.
Daarna leest de auteur het eerste hoofdstuk voor.
Kijk op de cd welk nummer bij dit boek hoort.

Achter in het boek zijn leestips opgenomen voor ouders.

Boeken met dit vignet zijn op niveaubepaling geregistreerd
en gecontroleerd door KPC Groep te 's-Hertogenbosch.

1e druk 2007

ISBN 978.90.276.7324.4
NUR 286/282

© 2007 Tekst: Christel van Bourgondië
Illustraties: Josine van Schijndel
Leestips: Marion van der Meulen
Vormgeving: Natascha Frensch
Typografie Read Regular: copyright © Natascha Frensch 2001 – 2006
Uitgeverij Zwijsen B.V. Tilburg

Voor België:
Zwijsen-Infoboek, Meerhout
D/2007/1919/200

Inhoud

1. Op pad

De nacht is inktzwart, de maan laat zich niet zien.
Alleen in zo'n nacht, als de duisternis alles opslokt, kan
het gebeuren.
Iedereen in het dorp weet ervan, maar niemand heeft
het erover.
Het is het geheim van het dorp.
Peter en William weten het ook.
Stiekem kruipen ze hun bed uit.
Het is middernacht en nog veel te vroeg, maar ze
moeten een fiks eind lopen.
Ze kennen de weg langs de kust goed.
Ze lopen er vaak, om konijnen te vangen.

William heeft bij toeval gehoord waar het precies is
deze keer.
Waar het schip van de **smokkelaars** aan land komt.
En waar ze alle tonnen met sterke drank op de houten
karren leggen.
Iedereen in het dorp krijgt een vaatje drank.
Zo houden de mensen hun mond en komt de **politie** er
niet achter.

Nu moet je weten dat dit verhaal zo'n twee eeuwen
geleden speelt, in **Engeland**.
In dat land had de koning sterke drank verboden.

Daarom werd het vanuit **Frankrijk** naar **Engeland** gesmokkeld.

Niet alleen drank hoor, ook tabak, thee, zijde, mooie kleren en soms zelfs mensen.

Smokkelaars verkochten de spullen in het hele land.

En zo verdienden ze er flink wat geld aan.

Voor William en Peter is smokkelen dus heel gewoon.

Maar het is ook heel spannend, omdat het stiekem gebeurt.

Vaak midden in de nacht.

Peter en William zijn pas elf.

Iedereen denkt dat ze in bed liggen.

Niemand mag weten wat ze nu aan het doen zijn.

2. Fakkels in de nacht

William grijpt Peter bij zijn arm en wijst: 'Daar!'
In de verte ziet hij een licht.
Het is een fakkel die heen en weer beweegt.
Peter ziet het ook, al is er op zee nog niets te zien.
De golven kletteren tegen de hoge rotsen.
Ze overstemmen elk geluid.
Of toch niet helemaal?
Met een ruk trekt Peter William mee achter een struik.
'Voetstappen,' fluistert hij zijn vriend in het oor.

Ze horen gestamp en even later ook stemmen.
Ze durven zich niet te verroeren.
Dan is het weer stil en het licht is verdwenen.
William rilt, de koude wind bezorgt hem kippenvel.
Hij kruipt dichter naar zijn vriend toe.
'Kijk, de boot komt eraan!' fluistert Peter zachtjes in het
oor van zijn vriend.
Hij ziet een flits op zee, heel eventjes maar, aan
de **horizon**.
De jongens houden hun adem in.
De boot met de **smokkelaars** kan elk moment aan land
komen.

Nu wordt het pas echt spannend.
Meestal gaat het goed, maar niet altijd.

Er is in de zwarte nacht wel eens een boot
te pletter gevaren.
Een andere keer dook de **politie** op uit het niets.
De fakkel is nu steeds vaker te zien.
De jongens weten dat de boot er bijna is.
Ze horen de gedempte stemmen van de mannen.
Ze horen gerommel en gestommel.
Ze zitten vlak bij de plek waar de tonnen vol sterke
drank worden neergezet.

De boot is er en de mannen gaan aan de slag.
Ze leggen de tonnen een voor een op de karren.
Strong is de sterkste man van het dorp.
Die tilt een vat op alsof het een **pul bier** is.
De mannen werken hard door, want ze moeten klaar zijn
voor de **politie** komt.
Peter en William horen de drank klotsen in de tonnen.
Strong komt aanlopen met een ton die hij voorzichtig
op de kar legt.
'Au!' horen Peter en William.
'Hoorde jij dat ook?' fluistert Peter.
'Ik hoorde gepiep,' zegt William zachtjes terug.
'Er zit iemand in,' zegt Peter nog zachter.
William houdt zijn adem in en zegt dan hardop: 'Dat kan
toch niet!'

3. De stem in de ton

Peter staat voorzichtig op.
Hij loopt op de ton af, maar William grijpt zijn pols en
trekt hem terug.
'Niet doen, dat is te gevaarlijk,' zegt William.
Peter schudt Williams hand van zich af en loert om
zich heen.
'Je stikt in zo'n ton,' zegt hij, 'we moeten helpen.'
Het is net even rustig, dus nu moet hij zijn kans grijpen.
Hij springt op en gaat op zijn tenen naar de kar toe.
Hij loopt snel en zonder geluid te maken.
William kan niet achterblijven en sluipt achter Peter aan.
Zachtjes tikken ze op de tonnen.

'Wat een herrie!' horen ze opeens, 'nooit een moment
rust hier!'
Ze hadden het dus goed gehoord: er komt écht een stem
uit de ton.
'Wie ben je?' vraagt William zachtjes.
'Alsof je dat niet weet,' moppert de stem.
'Nee,' zegt Peter, 'we hoorden je "au" roepen.
Daarom zijn we naar je toe gekomen.'
'Je bent vast niet van hier,' zegt William, 'je Engels klinkt
zo grappig.'
'Vind je dat grappig?' zegt de stem, 'ik vind er niets
grappigs aan.

Ik kom uit **Frankrijk** en help me nu maar om hieruit
te komen.'
'**Frankrijk!**' roept Peter uit.
Hij heeft vaak horen praten over het verre land
over zee.

'Wat spoken jullie hier uit?' dendert een stem achter
hem.
Als Peter verschrikt omkijkt, ziet hij Strong staan.
Die trekt William aan zijn oor de kar af.
Peter springt er meteen achteraan.
'Blijf van mijn vriend af!' roept hij.
'Nog brutaal ook,' zegt Strong, 'maak dat jullie wegkomen.
Laat ik jullie hier nooit weer zien.'
Hij strekt zijn grote hand uit om Peter een mep
te verkopen.
Die springt opzij en gaat ervandoor.
Zo snel als hij kan, rent hij achter William aan.

4. Welke ton was het?

'Stop, we moeten terug!' zegt Peter na een poosje.
'Nee, straks vermoordt Strong ons,' roept William uit.
'We kunnen toch geen mens in een ton laten zitten,'
zegt Peter.
William is echt bang voor Strong, want hij weet hoe
sterk hij is.
Maar een mens in een ton - dat kan écht niet.
'Oké dan!'
Zachtjes sluipen de jongens terug naar hun veilige plekje
in de struiken.

De mannen lopen af en aan en sjouwen met tonnen
sterke drank.
Strong ziet dat een van de mannen een ton op zijn kar
wil leggen.
'Niet daar, mijn kar is vol!' schreeuwt hij.
'Kom op!' zegt de man, 'er kunnen best nog een paar
tonnen bij.'
'Laat me dan eerst wat verplaatsen,' zegt Strong bars.
Strong buigt zich over de ton met het stemmetje en tilt
hem voorzichtig op.
'Zie je wat hij doet?' zegt William zachtjes tegen Peter.
'Zie je hoe voorzichtig hij die naast zich op de bok legt?
Hij weet heus wel dat er iemand in zit.'

'Strong is gemeen,' zegt Peter.

'We moeten de stem in de ton redden, maar hoe?'

Strong blijft bij zijn kar in de buurt.

William krijgt opeens een inval.

'Jij blijft hier!' zegt hij tegen Peter, 'ik kom straks weer terug.'

Op zijn tenen gaat William ervandoor.

Al snel ziet Peter zijn vriend niet meer.

Het is net of de duisternis William heeft opgegeten.

William loopt in de richting van de mannen.

Ze laten de tonnen op de karren rollen.

Ze werken hard en hebben niet in de gaten waar Strong is.

William blijft op een afstandje staan.

Hij hoopt maar dat ze hem niet kunnen zien.

Hij schraapt zijn keel en roept met een zware stem:

'Strong staat mooi te niksen!'

'Is dat zo?!' vraagt een van de mannen.

Prompt roept hij naar zijn makkers: 'Horen jullie dat? Strong, is een luilak, hij doet niets!'

William duikt weg en sluipt terug naar Peter.

'Strong, we hebben je nodig!' buldert een stem door de nacht.

'Je bent niet voor niets de sterkste!'

'Mijn kar is vol!' brult Strong terug.

'Helpen!' buldert de stem weer.

'Straks komt de **politie** en zijn we erbij.'

Van de **politie** moet Strong niets hebben, want dan is hij zijn vangst kwijt.

'Oké dan,' roept hij, 'ik kom eraan.'

Zodra Strong weg is, grijpen Peter en William hun kans.

Ze klimmen op de bok naast de ton.

'Ben je daar nog?' zegt Peter zachtjes.

'Wat dacht jij?' hoort hij de stem in de ton, 'dat ik opeens was weggevlogen?'

'Wie ben je?' vraagt William.

'Red me eerst,' zegt de stem in de ton.

Peter probeert het deksel los te wrikken met zijn dolk.

Hij hamert tegen de ton en zoekt een zwakke plek.

Na een poosje hoort hij: 'Oké dan!

Ik ben Pier, de kleinste man van de wereld.

Ik ben zo groot als een peuter, maar dan wel met het gezicht van een groot mens.

Ik vermaak de mensen op de kermis in **Parijs**.

Je kunt wel zeggen dat ik wereldberoemd ben.

De mensen vinden me heel raar.

Ik ben wat je noemt: een **rariteit**.'

'Hoe kom je hier dan terecht?' vraagt William.

Voor Pier antwoord kan geven, zegt Peter: 'Het lukt niet, het deksel zit te vast.'

'Je móét me redden,' zegt Pier, terwijl zijn stem overslaat van angst.

'Anders brengt Strong me naar graaf Streens.'

'Graaf Streens?' roepen Peter en William verschrikt uit.

5. Wat nu?

Graaf Streens is een heel vreemde man.
Er worden de gekste verhalen over hem verteld.
Dat hij 's nachts rondvliegt met heksen, dat hij ogen in
zijn achterhoofd heeft.
Dat hij kinderen roostert aan het spit en dat hij heel
vreemde dingen verzamelt.
Pier zegt: 'Graaf Streens wil mij voor zijn verzameling.
Daar betaalt hij Strong veel geld voor.
Ik ben bang voor de graaf.'
'We gaan je redden,' zegt Peter.

Op dat moment voelt hij een hand in zijn nek.
Het is Strong en hij buldert: 'Wat mot dat hier?
Had ik jullie niet weggestuurd?'
Hij tilt de jongens een voor een op en geeft ze een schop
onder hun billen.
'Laat ik jullie niet nog een keer zien, want dan is het écht
met jullie gedaan!'
'Au!' William valt met zijn knie op een scherpe steen.
'Rot...' wil Peter roepen, maar William legt zijn hand op
Peters mond.
'Laat maar!' zegt hij, 'wegwezen!'
En weer lopen ze zo hard als ze kunnen.
'Stop, we gaan terug, we moeten Pier redden!' zegt Peter
na een poosje.

Ditmaal is William het meteen met hem eens, al is hij
doodsbang voor Strong.
Ze kruipen terug naar hun plekje in de struiken.
Ze horen een van de mannen roepen: 'Nog een paar
tonnen en we kunnen ervandoor!'
'Mooi zo!' mompelt Strong, die vlakbij staat.

'We moeten opschieten!' zegt William tegen Peter.
'Als ze weggaan, is alles verloren.'
Op dat moment bedenkt hij iets.
De mannen gaan altijd eerst naar de kroeg om te
proosten op de goede buit.
Ze drinken zich warm en daarna beginnen ze te lallen.
'We moeten mee naar de kroeg,' zegt William.
Zodra de kust veilig is, sluipen ze naar de karren.
Ze klimmen op de kar van Strong.
Ze verstoppen zich onder het zeil dat over de
tonnen ligt.
Niemand kan hen nu nog zien.
Ze kruipen dicht tegen elkaar aan.

6. Met Pier op de vlucht

Bij elke hobbel slingeren de jongens van links naar rechts.
De tocht lijkt wel uren te duren, maar dat is natuurlijk
niet zo.
Toch halen ze opgelucht adem als de kar blijft staan.
Ze wachten tot Strong met de anderen naar de kroeg
gaat.
Dan kruipen ze onder het zeil vandaan.
Alleen Bellie is er nog.
Bellie is een **smokkelaar** met een buik als een luchtballon.
Hij houdt de wacht, maar wel met een heupfles drank in
zijn hand.
'Mooi,' zegt Peter zachtjes tegen William.
'Bellie is nog slomer dan een trage slak.'

Peter klimt op de bok en William houdt de wacht.
Peter probeert het deksel los te wrikken van de ton
waar Pier in zit.
'Ben jij dat?' hoort hij de stem van Pier.
Peter is een poosje bezig als William voetstappen hoort.
'Meekomen!' zegt hij tegen Peter.
'Nog even, ik ben er bijna,' zegt Peter snel.
Met een scherpe steen heeft hij het deksel los geslagen.

'Duw!' zegt hij zachtjes tegen Pier.
'Vlug!' tikt William.

'Jippie!' roept Peter blij uit.

Het deksel geeft mee en Pier kruipt eruit.

'Aangenaam,' zegt de kleine man beleefd.

Peter sleurt Pier mee aan zijn hand.

'Wacht!' zegt Pier, terwijl hij weer in de ton duikt en er een doek uit trekt.

'Zonder mijn deken ga ik nergens heen.'

'Kom nou!' zegt William nogmaals.

De zware stappen zijn vlakbij.

De jongens duiken weg achter een stal.

Ze horen hoe Strong tekeer gaat tegen Bellie.

'Wie heeft me dit gelapt!' brult hij, 'stond jij niet op wacht, Bellie?'

'Kalm Strong,' zegt Bellie, 'er is niets gebeurd, man.'

'En wat is dit dan?' gromt Strong.

'Ik krijg die rotjongens wel!' roept hij uit.

Strong loopt terug naar de kroeg.

Met een knal slaat hij de deur open.

De mannen kijken hem verdwaasd aan.

'Ik zoek twee jochies!' brult Strong, 'twee jochies en een piepklein mannetje.

Wie ze vindt, krijgt drie gouden munten!'

De ogen van de mannen worden groot.

Een paar mannen springen op.

Drie gouden munten, daar verkopen ze hun oude moeder nog voor.

'Doe ik wel even!' roept een van de mannen.

Hij staat op, wankelt en valt neer.

'Wie is er nog niet dronken?' brult Strong.

Drie mannen springen op.

Ook zij wankelen, maar ze blijven wel staan.

'Goed dan!' buldert Strong.

De jongens en Pier staan te bibberen.

'We moeten er zo snel mogelijk vandoor,' zegt William.

'Maar waar naartoe?' vraagt Peter zich af.

Pier slaat de deken om zich heen en fluistert: 'Ik wil
terug naar **Parijs**.'

'Hoe dan?' vraagt William, terwijl hij naast zich kijkt.

Maar hoe hij ook kijkt, geen Pier te zien.

Verschrikt grijpt hij Peter beet en knijpt zijn arm bont
en blauw.

'Pier is weg!' zegt hij.

7. De deken van Pier

'Dom dom,' horen ze de stem van Pier.

Vlak daarna zien ze zijn hoofd tevoorschijn komen.

'Ik zat onder mijn deken,' zegt hij, 'het is gruwelijk
koud hier.'

William kijkt nog eens goed, maar hij ziet niets.

'Waar is de deken dan?' vraagt hij.

'Hier,' zegt Pier en hij trekt de deken weer over zich
heen.

Weg is Pier.

William denkt dat het komt omdat het zo donker is.

Hij weet niet dat de deken de kleur heeft van de
omgeving.

Daardoor zie je niets meer van Pier als hij eronder zit.

'Kunnen we daar met zijn drieën onder?' vraagt Peter.

'Dan vinden ze ons nooit.'

'Goed idee,' zegt Pier.

Ze schuiven tegen elkaar aan en Pier gooit de doek over
alle drie.

De voeten van de jongens steken eruit.

'Jammer,' zeggen ze tegelijkertijd.

'Maakt niet uit,' zegt William opgewekt, 'beter iets
dan niets.

We moeten maken dat we wegkomen.

Strong en zijn mannen zijn vast al op zoek.'

'Volg mij maar,' zegt Peter heel zachtjes.

Ze schuiven als slangen door de struiken.

Ze slingeren op hun buik, tot ze bij een pad komen, dat tussen de rotsen door loopt.

Het is het geheime pad van William en Peter.

Vandaar kan niemand hen zien, maar zij zien alles en iedereen.

Zo was het tenminste altijd.

Nu horen ze: 'Wat is dat voor geritsel in die struiken?

Kan ik dan niet eens even rustig pissen?'

De jongens duiken snel weg achter een rots.

Pier is net het pad op gekropen.

Razendsnel trekt hij de deken over zich heen.

De man loopt in de richting van de struiken.

Maar daar struikelt hij, patsboem, over Pier onder de deken.

'Au!' schreeuwt Pier.

De man wrijft verbaasd over zijn knieën.

Een steen die 'au' roept, dat heeft hij nog nooit gehoord.

Hij gaat naar de steen en legt zijn hand erop.

'Laat dat!' gilt Pier, 'hou op met dat geknijp!'

Pier springt onder de deken vandaan.

'Krijg nou wat, een uk met de kop van een kerel,' mompelt de man als hij Pier ziet.

'Heb ik dan toch te veel gedronken?' zegt hij.

Hij strijkt met zijn hand door zijn haren en gaat erbij zitten.

Op dat moment springen Peter en William op en ze roepen: 'Rennen Pier!'

Pier zet het op een rennen.

Zijn deken sleept achter hem aan.

'Verrek!' zegt de man en brult: 'Ze zijn hier, erachteraan!'

8. Vrienden

Pier is snel, maar zijn benen zijn kort.
William kijkt om en ziet dat Pier steeds verder achter
raakt.
Zo halen ze het nooit.
Hij gaat naast Pier lopen en zegt: 'Geef je deken eens,
snel!'
William spreidt de deken uit op de grond.
'Ga precies in het midden zitten,' zegt hij tegen Pier.
Hij vouwt de hoeken van de deken bij elkaar en legt
er een knoop in.
Hij gooit de gevouwen deken als een zak over zijn
schouder.
Pier is maar klein en weegt niet veel.
William kan hem makkelijk dragen.
'Kom op!' zegt Peter.
De stemmen van de mannen klinken nu heel dichtbij.
Ze zetten het op een rennen.

Ze gaan het pad af dat steil naar beneden voert en
springen van rots naar rots.
Wat doet Peter toch? vraagt William zich af.
Hij loopt zo naar het strand.
Daar kunnen we ons niet verstoppen.
Straks kunnen we geen kant op.
Dan hebben die mannen ons zo.

'Hier!' roept Peter en hij wuift naar William.

William kijkt opzij en ziet Peter staan tussen een spleet in de rotsen.

Het is de plek waar ze altijd mosselen zoeken.

Nu komt het goed uit dat ze klein zijn.

Grote mensen kunnen niet in de spleet.

William laat Pier van zijn rug glijden.

Ze staan er nog maar net, of ze horen stemmen: 'Waar is dat tuig nou?'

Bellie en lange John zijn de jongens gevolgd.

'Dit is toch geen klus voor een **smokkelaar**,' zegt Bellie.

'Niets te zien,' zegt de lange.

'Al die ellende vanwege een klein ventje.'

Pier snuift boos als hij dat hoort.

Dan komt er nog een derde man.

'Opdracht van Strong,' zegt die.

'Die kinderen kunnen niet ver zijn.

Jullie houden de wacht.'

'Daar zijn we mooi klaar mee,' zegt lange John, 'een beetje letten op dat tuig.'

'Zeur niet,' zegt de derde weer, 'je wordt er goed voor beloond.

Volgens mij is dat kleine ventje een flinke **bom duiten** waard.'

'Zo is het maar net,' mompelt Pier zachtjes.

Het drietal staat te bibberen tussen de gladde, natte rotsen.

Hun spieren doen zeer van de kou.

Het water stijgt en komt al tot aan hun knieën, dat wil zeggen, bij Peter en William.

Bij Pier komt het al bijna tot aan zijn middel.

'Klim op mijn schouders,' zegt William tegen Pier.

'Het wordt vloed en dan houden we het hier niet lang meer vol.'

De twee mannen zijn erbij gaan zitten.

'Verdorie!' roept Bellie als een golf zijn broek nat spat.

'Bekijk het maar, ik ga terug.'

'Strong vermoordt ons als we weggaan,' bromt lange John.

Hij neemt een slok sterke drank uit zijn heupfles.

'Kom we gaan daar op die rots zitten,' zegt hij, 'dan zitten we droog en zien we alles.'

'Zijn ze weg?' vraagt William.

Pier kijkt om de rand van de rots heen.

'Ze zijn er nog,' roept hij uit.

'Wat moeten we nu?' zegt Peter.

'Het water komt steeds hoger en wij kunnen geen kant op.'

9. De haven van Kendie

William zegt niets, die denkt heel diep na.
'Misschien weet ik wel wat,' zegt hij na een poosje.
'Aan de andere kant van de rotsen ligt de haven van
Kendie.
Daar kunnen we ons goed verstoppen.'
'Je hebt gelijk,' zegt Peter.
'Volg mij, ik weet de snelste weg over de rotsen.'
En meteen klautert hij omhoog.
'Krijg nou wat,' roept Bellie uit, 'daar heb je een van die
jochies.
Erachteraan!'

De bolbuik staat op en tuimelt voorover.
'Laat mij maar,' zegt zijn maat.
'Je moet niet zoveel zuipen.'
Hij loopt met grote passen op de rotspartij af en wil
Peter bij zijn enkel vastgrijpen.
Maar Peter is ook niet gek en hij klautert de rots op.
Hij weet ook wel dat hij sneller is dan zo'n dronken
smokkelaar.
'Wacht!' roept hij tegen William en Pier.
Peter klautert snel als een vuurpijl de rots op.
'Pak me dan als je kan!' roept hij naar lange John.

William begrijpt wat Peter van plan is.

Hij probeert de lange bij hen vandaan te lokken.
'We moeten snel zijn,' zegt William tegen Pier.
'Straks staan we onder water.'
Pier ziet dat de dronken Bellie zijn best doet om
overeind te komen.
Hij gooit de deken over zijn eigen hoofd en over William.
Alleen de benen van William zijn nog te zien.
Pier kan door een spleet in de deken kijken.
Hij geeft opdrachten: 'Naar links, naar rechts, pas op:
een steen!'

De dronkenlap staat juist rechtop, als hij twee benen
over het strand ziet lopen.
'Dat kan niet!' mompelt hij, 'zoiets heb ik nog nooit
gezien.
Ik zie een stel benen of zie ik een half mens?'
Met een plof laat hij zich vallen in het zand.
'Ik drink nooit meer wat,' zegt hij.

Zo hebben William en Pier mooi even tijd om weg te
duiken achter een rots.
Want daar komt de lange weer.
Die roept zijn maat.
'Dat ventje is me te snel!' zegt hij.
'Ik denk dat het joch naar de haven van Kendie gaat.
Daar moeten wij ook naartoe.'
'Ik ga nergens naartoe, want het spookt hier,' mompelt
Bellie.

'Kom mee, we gaan terug,' zegt de lange.

'Met de kar zijn we eerder in Kendie dan die jongens.'

Bellie staat met een zucht op en zwiert achter zijn
makker aan.

William en Pier wachten tot het tweetal weg is.

Dan klimmen ook zij omhoog.

Ze moeten goed oppassen om niet uit te glijden op de
spekgladde rotsen.

De zee spettert zijn golven over hen heen.

Het eerste licht van die dag tekent zich af als een rode
lijn aan de **horizon**.

Ze hebben geen tel meer te verliezen.

10. Scheepsjongen

Ondertussen staat Peter op het strand bij Kendie.
De vissersboten liggen klaar om uit te varen.
Er ligt ook een enorme zeilboot.
Peter weet dat die naar **Frankrijk** gaat.
Hij loopt naar de zeilboot en vraagt aan een matroos:
'Waar is de **kapitein**?'
'Dat ben ik,' zegt een man met een krulsnor.
'Ik moet naar mijn oom in **Frankrijk**.
Kan ik meevaren?' vraagt Peter.
De **kapitein** bekijkt Peter van top tot teen en vraagt:
'Kun je goed werken?'
Peter knikt.
'Dan heb je geluk, ik kan nog wel een scheepsjongen
gebruiken.'
'Mag mijn vriend ook mee?' vraagt Peter.
'Waar is die dan?' vraagt de **kapitein**.
'Hij komt zo,' zegt Peter.
'Dan moet hij wel snel zijn, want we varen zo uit.'
Peter kijkt om zich heen en zegt: 'Ik ga hem wel halen.'

Het eerste zonlicht valt op de rotsen.
Daar klauteren William en Pier juist omlaag.
William zwaait naar Peter.
Pier hijgt en ziet rood als een biet.
'Snel!' roept Peter, 'we varen zo uit.'

Op dat moment hoort Peter het geratel van de kar
van Strong.
Die komt gevaarlijk snel dichterbij.
Peter rent op William en Pier af.
Pier kruipt weer in de deken.
Peter hangt hem als een knapzak over zijn schouder.
'We moeten rennen!' zegt hij tegen William.
William weet niet wat Peter van plan is.
Hij ziet alleen de kar met Strong en zo hard als hij kan
rent hij achter Peter aan.

Precies op tijd zijn ze bij het schip.
De matroos wil net de loopplank binnenhalen.
'Jullie hebben geluk!' zegt de **kapitein** streng.
'Ga maar meteen het dek zwabberen.'

Peter legt de knapzak met Pier erin bij de stapel
scheepstouw.
Daarna fluistert hij in Williams oor: 'We zijn
scheepsjongens.
Doe wat de **kapitein** zegt!'
'Ajai **kapitein**!' zeggen de jongens tegelijk.
Er verschijnt een glimlach onder de grijze snor.
'Tijd om uit te varen!' roept de **kapitein**.
'Haal de loopplank maar binnen, matroos!'

'Ho, wacht **kapitein**, u hebt twee boeven aan boord.'
De **kapitein** kijkt om.

Strong staat op de wal en zwaait met zijn vuist in de lucht.

11. Alle hens aan dek!

Peter en William blijven als bevroren staan.

De **kapitein** kijkt de beide vrienden aan.

'Zo, wat hebben deze banjers dan gestolen?' zegt hij
met zware stem.

William en Peter slaan hun ogen neer en weten niets
te zeggen.

William bibbert.

Peters wangen zijn rood van woede.

De valserik, denkt hij.

'Geef mij die jongens,' zegt Strong.

De **kapitein** kijkt Strong strak aan.

'Vertel me eerst eens wat ze hebben gestolen?'

'Geef mij die apen!' brult Strong en steekt zijn vuist op.

De **kapitein** kijkt nog een keer naar de jongens.

Daarna kijkt hij weer naar Strong.

Dan roept hij: 'Alle hens aan dek, hijs de zeilen, we gaan!'

'Sjjjjj...' Strong begint van woede te sissen.

'Daar krijg je nog spijt van,' schreeuwt hij tegen de
kapitein.

Maar zijn woorden waaien weg met de wind.

De jongens halen opgelucht adem.

'Aan de slag jullie,' zegt de **kapitein**.

'Jij veegt het dek,' zegt hij tegen Peter.

En tegen William: 'Jij ruimt de touwen op!'

William loopt naar de grote hoop met scheepstouw.
Hij begint de zware touwen netjes op te rollen.
'Moet ik hier blijven?' hoort hij Pier opeens vragen.
William kijkt naar de deken waaronder Pier ligt en zegt:
'Stil jij!'
'Ik lig zo beroerd,' moppert Pier, 'kun je me niet ergens
anders leggen?
Op een zacht kussen of zo.'
William kijkt om zich heen.
Midden op het dek ziet hij een paar zakken met meel.
'Houd je koest,' fluistert hij tegen Pier.
Hij tilt de deken met Pier erin op en legt het pakketje op
de stapel zakken.
'Hm, lekker,' zucht Pier als hij ligt.

Peter veegt en William gaat verder met de touwen.
De **kapitein** houdt de jongens vanuit zijn ooghoeken in
de gaten.
Hij kan niet geloven dat het slechte jongens zijn.
Maar waarom wilden ze per se meevaren?

12. Betrapt

Het is een mooie dag.
De zon glinstert op het water, de zee is kalm.
En iedereen neuriet tevreden.
William en Peter zijn zelfs vergeten dat Pier er is.
Ze gaan helemaal op in hun werk.
Tot ze opeens een gil horen.
'Aj, ik schrik me rot, wat is dat?'
William en Peter weten meteen wat er aan de hand is.

'Kun je niet uitkijken, sukkel,' zegt Pier die onder zijn
deken vandaan is gekropen.
Alle mannen op het schip komen aangerend.
De **kapitein** komt er ook bij staan.
Even is het doodstil, dan steekt een van de mannen zijn
vinger uit.
Hij wijst naar Pier en roept: 'Wat een ukkie, een
lilliputter.'
Hij begint te lachen en daarop barst iedereen in
lachen uit.
Ook Peter en William lachen mee.
Alleen Pier niet, want die voelt zich beledigd.
Maar hij bedenkt zich snel.
Hij kan maar beter grappig doen.
Hij doet de radslag, draait rondjes op zijn kop en kruipt
in de broekspijp van een van de mannen.

De mannen slaan zich op hun dijen van het lachen.
Zo'n raar ventje hebben ze nog nooit gezien.

Alleen de **kapitein** lacht niet.
Die slaat zijn grote hand om de nek van Peter.
Hij tilt hem een stukje van de grond en zegt: 'Vertel eens,
ventje.
Wat heeft dit te betekenen?'
'Laat me los!' gilt Peter.
William wil niet dat Peter pijn heeft.
Hij denkt dat het beter is om alles eerlijk op te biechten.
Hij vertelt van de **smokkelaars** en dat zij stiekem gingen
kijken.
Hij zegt dat ze een stem hoorden in een ton.
En dat ze Pier uit de ton hebben gered.
Hij vertelt van Strong en zijn gemene plannen.
Tot slot zegt hij dat Strong Pier naar graaf Streens
wil brengen.

'Graaf Streens!' roepen de mannen verschrikt uit.
'Die rotzak aan wie we zoveel belasting moeten betalen?'
'Nu begrijp ik waarom Strong zo kwaad was,' zegt de
kapitein.
'Die krijgt Pier nooit in handen en graaf Streens al
helemaal niet.
Daar zal ik persoonlijk voor zorgen.'
Pier is tegen William aangekropen.
'Ben ik veilig?' vraagt hij en kijkt daarbij zo zielig als

hij maar kan.
Daarop brullen de mannen weer van het lachen.

'Jullie zijn dappere jongens!' zegt de **kapitein**,
Hij legt zijn handen op de hoofden van Peter en William.
'Het is geweldig wat jullie voor Pier hebben gedaan.
En laat ik jullie één ding zeggen: jullie hoeven nooit meer
bang te zijn voor Strong.
Want die zullen wij een lesje leren.'

Tips voor ouders

Gefeliciteerd!

Uw kind is dyslectisch en heeft dit boek uitgekozen om te
gaan lezen. Dat is al een hele prestatie!
Want voor kinderen met dyslexie is lezen meestal niet leuk.
Zij moeten veel meer en vaker oefenen om het lezen onder
de knie te krijgen. En alle boeken die zij ooit willen lezen, zijn
voor hen moeilijker dan voor een gemiddelde lezer.

Wat kinderen met dyslexie helpt is:

- **lezen, lezen en nog eens lezen!**

En dat is alleen maar leuk als ze:

- **leuke boeken lezen op een niveau dat voor
  hen geschikt is.**

U, als ouders of begeleiders kunt deze kinderen helpen door:

* **veel leuke verhalen voor te lezen**

* **samen te lezen (bijvoorbeeld om de beurt een bladzijde)**

* **ze te laten luisteren naar leuke luisterboeken**

* **het kind altijd aan te moedigen om te lezen**

Lezen is een feest. Naast alle dingen die uw kind leuk
vindt om te doen, is altijd plaats om samen tien minuten
te lezen, bijvoorbeeld tien minuten later naar bed en
eerst nog even samen lezen!

Hoe werkt Zoeklicht Dyslexie?

1. Luister naar de audio-cd en kijk naar de eerste bladzijden van het boek. *Op de cd worden de hoofdpersonen voorgesteld en worden de moeilijke woorden uit het verhaal voorgelezen.*

2. Luister naar het eerste stukje van het verhaal dat op de audio-cd wordt voorgelezen. *Je weet dan al een beetje hoe het verhaal gaat en als het spannend wordt, ga je zelf verder met lezen.*

3. Ga het verhaal nu lezen. *Als je vetgedrukte woorden tegenkomt, dan weet je dat dat een moeilijk woord is dat op de flap staat. Blijven deze woorden heel moeilijk, luister dan nog een keer naar het eerste stukje van de audio-cd waarop ze worden voorgelezen.*

4. Alle boeken uit de serie Zoeklicht Dyslexie hebben een speciale letter voor dyslectische kinderen. Zo wordt lezen nog fijner.

pul bier

Parijs

rariteit

lilliputter

bom duiten

kapitein

Naam: *Christel van Bourgondië*
Ik woon met: *Frank, Lara, Jaro en hond Mila.*
Dit doe ik het liefst: *lachen met vrienden.*
Dit eet ik het liefst: *spruitjes met kastanjes in rode wijnsaus.*
Het leukste boek vind ik: *De tuinen van Dorr (zo mooi).*
Mijn grootste wens is: *nog mooiere boeken schrijven.*

Naam: *Josine van Schijndel*
Ik woon met: *Misty (lieve herder-husky).*
Dit doe ik het liefst: *dromen.*
Dit eet ik het liefst: *vegetarische Babi Pangang.*
Het leukste boek vind ik: *"Van de koele meren des doods"*
en "Imajica".
Mijn grootste wens is: *een tijd in New York wonen.*